Braunschweig

Sachbuchverlag Karin Mader

Fotos:
Bernd Schlüsselburg
Seite 58: Dirk Rademaker
Seite 59: Jost Schilgen

Text:
Martina Wengierek

D-28879 Grasberg

Grasberg 1997

Übersetzungen:
Englisch: Mia Katz, Michael Meadows
Französisch: Mireille Patel

Printed in Germany

ISBN 3-921957-38-9

Bisher sind erschienen:

Aschaffenburg
Baden-Baden
Bad Oeynhausen
Bad Pyrmont
Bochum
Bonn
Braunschweig
Bremen
Bremerhaven
Buxtehude
Celle
Cuxhaven
Darmstadt
Darmstadt und der Jugendstil
Duisburg
Die Eifel
Eisenach
Erfurt
Essen
Flensburg
Freiburg
Fulda
Gießen
Göttingen
Hagen
Hamburg
Der Harz
Heidelberg
Herrenhäuser Gärten
Hildesheim
Kaiserslautern
Karlsruhe
Kassel
Kiel
Koblenz
Krefeld
Das Lipperland
Lübeck
Lüneburg
Mainz
Mannheim
Marburg
Die Küste – Mecklenburg-Vorpommern
Minden
Mönchengladbach
Münster
Das Neckartal
Osnabrück
Die Küste – Ostfriesland
Paderborn
Recklinghausen
Der Rheingau
Rostock
Rügen
Die Küste – Schleswig-Holstein Ostsee
Schwerin
Siegen
Stade
Sylt
Trier
Tübingen
Ulm
Wiesbaden
Wilhelmshaven
Wolfsburg
Würzburg
Wuppertal

Ein Stapel- und Rastplatz (Wik), den Händler vor über 1000 Jahren in der Nähe der Burg Dankwarderode anlegten, ist vermutlich die Wurzel Braunschweigs. Die günstige Lage führte dazu, daß Heinrich der Löwe hier Mitte des 12. Jahrhunderts seine Residenz errichtete: Der Grundstein für eine der blühendsten Metropolen des Mittelalters war gelegt. Dom und Burglöwe geben heute noch Zeugnis ihrer einstigen Bedeutung und blieben die Wahrzeichen der Stadt.
Im 13. und 14. Jahrhundert unterhielt Braunschweig rege Handelsbeziehungen bis nach Flandern, England und Rußland. Musik und Theater ließen die Stadt im Zeitalter der Aufklärung zu einem kulturellen Zentrum in Deutschland avancieren.
Was einst den Ruhm der Hansestadt ausgemacht hatte, ihre großartige Altstadt mit prächtigen Bürgerbauten, ging im Bombenhagel des Zweiten Weltkrieges größtenteils verloren. Von den fünf »Weichbildern«, wie die Stadtteile hier hießen, blieben nur die Kirchen erhalten: Sie wurden zum Mittelpunkt der »Traditionsinseln«, auf denen Altes und Neues allmählich verschmolzen. Heute genießt Braunschweig den Ruf eines wichtigen Verwaltungs-, Wirtschafts- und Industriezentrums in Niedersachsen und hat rund 260000 Einwohner.

Over 1000 years ago, a storage and resting place for traders (Wik) was established near Dankwarderode Castle. It was probably the roots of Brunswick. Heinrich der Löwe (the Lion) built his residence at this convenient location, in the mid 12th century and in so doing, laid the basis for one of the most thriving metropolises of the Middle Ages. The cathedral and castle lion (Burglöwe) still bear witness to their former importance and are the city emblems.
In the 13th and 14th centuries, Brunswick had flourishing trade relations with Flanders, England, and Russia. During the time of the Enlightenment, music and theater made Brunswick one of the cultural centers of Germany.
The wonderful old town, with its magnificent town houses for which this city of the Hanseatic League was once famous, was lost to a great extent during the bombings of the Second World War. In the five districts, only the churches remained. They became the center pieces of the "islands of tradition", where old and new have gradually blended. Today, Brunswick is an important administrative, business and industrial center in Lower Saxony. It has a population of approximately 260,000.

Un lieu d'entreposage et de repos (Wik) que les marchands aménagèrent il y a 1000 ans, près du château de Dankwarderode, est probablement à l'origine de Brunswick. Les avantages de la situation géographique amenèrent Henri le Lion à construire ici sa résidence, au milieu du 12e siècle: première pierre de l'une des métropoles les plus florissantes du Moyen Age. La cathédrale et le château du Lion témoignent, encore aujourd'hui, de l'importance qu'eut jadis la ville et en restent les symboles.
Aux 13 et 14e siècles Brunswick pratiqua un commerce très actif avec la Flandre, l'Angleterre et la Russie. Grâce à la musique et au théâtre elle devint, au Siècle des Lumières, l'un des centres culturels d'Allemagne.
Ce qui avait fait la gloire de la ville hanséatique, la superbe vieille ville et les magnifiques maisons bourgeoises, disparut, en grande partie, sous les bombardements de la Deuxième Guerre Mondiale. De cinq «Weichbilder» comme s'appelaient ici les quartiers, ne survécurent que les églises qui devinrent le cœur des «îlots de tradition» dans lesquels, graduellement, le vieux et le nouveau se mêlèrent. A présent Brunswick est un centre administratif, économique et industriel important en Basse-Saxe et compte environ 260000 habitants.

Auf Tuchfühlung mit der Geschichte

So sah das Herzstück eines der mächtigsten Reiche des Mittelalters aus: Der Burgplatz, eingerahmt von Burg, Dom und noblen Fachwerkhäusern, hat sich seinen ursprünglichen Grundriß bewahrt. Seine Westseite krönt das 1805 vollendete klassizistische Viewegsche Verlagshaus, in dem heute das Braunschweigische Landesmuseum residiert.

This is what the heart of one of the most powerful empires of the Middle Ages looked like: The castle square, framed by the castle, cathedral, and half-timbered houses of the nobility, has retained its original ground plan. The left side is crowned by the classical building of the Viewegsche publishing house, completed in 1805. It now is home to the Brunswick Regional Museum.

Le cœur de l'un des plus grands fiefs du Moyen Age: La Burgplatz, bordée du château, de la cathédrale et de nobles maisons à colombages, a conservé son ordonnance originelle. La maison d'edition Vieweg, de style classique, complétée en 1805, pare le côté ouest. Elle abrite, à présent, le Braunschweigische Landesmuseum.

Burg Dankwarderode, um 1175 von Heinrich dem Löwen erbaut, konnte sich hinsichtlich ihres Prunks durchaus mit den Kaiserpfalzen messen. Sie diente ein Jahrhundert lang als Residenz, wurde mehrfach umgestaltet und bei einem Brand 1873 schwer beschädigt. Beim Wiederaufbau orientierte man sich an ihren romanischen Elementen, die das Feuer zutage gefördert hatte. Jetzt finden hier kulturelle Veranstaltungen und Ausstellungen statt.

Dankwarderode Castle was built by Henry the Lion, in 1175. It can be compared in its splendor to the imperial palaces. It served as a residence for a century, was remodeled several times and was severely damaged by fire in 1873. The reconstruction emphasized the Roman elements which had been unearthed by the fire. The building is now used for cultural events and exhibitions.

Le château de Dankwarderode, construit en 1175 par Henri le Lion, pouvait se mesurer, pour sa magnificence, aux palais de l'empereur. Il servit pendant un siècle de résidence princière, fut plusieurs fois remanié et sévèrement endommagé en 1873 par un incendie. Lors de sa reconstruction l'on reprit les éléments romans que le feu avait mis à jour. Il abrite, à présent, des manifestations culturelles et des expositions.

Kaum war Heinrich von seiner Pilgerfahrt ins Heilige Land zurückgekehrt, legte er 1173 den Grundstein für den Dom. Erst, als der Welfenherzog 1195 starb, wurde das Bauwerk vollendet und gleichzeitig zur letzten Ruhestätte für seinen Stifter. Das einstige Machtsymbol des Fürsten und Wappentier der Stadt hält Wache: Der bronzene Burglöwe von 1166 war die erste Freiplastik des deutschen Mittelalters nördlich der Alpen.

Heinrich laid the corner stone for the cathedral in 1173, just after returning from his pilgrimage to the Holy Land. Its construction was not completed until the Guelphic Duke's death in 1195, and it became his final resting place. The former power symbol of the nobles, and now the city's heraldic animal, keeps watch. The bronze castle lion was the first German, free standing statue of the Middle Ages, north of the Alps.

Dès qu'il fut revenu de son pélerinage en Terre Sainte, en 1173, Henri posa la première pierre de la cathédrale. Elle ne fut complétée qu'en 1195, à la mort du duc Welf et devint son dernier lieu de repos. Le symbole du pouvoir des ducs et animal héraldique des armoiries de la ville monte la garde: le monument du lion, coulé en bronze et datant de 1166 est la première statue libre de support en Allemagne au nord des Alpes.

Zu den Schätzen des Domes gehören ein mächtiger, siebenarmiger Leuchter, den Heinrich selbst in Auftrag gegeben haben soll, sowie das »Imervardkreuz« (kleines Foto). Das überlebensgroße Kruzifix stammt aus der Mitte des 12. Jahrhunderts. Sein Christuskopf diente als Reliquienbehälter.

The massive candelabra with seven branches, said to have been ordered by Heinrich himself, and the "Imervardkreuz" (small photo) are cathedral treasures. The larger-than-life crucifix is from the 12th century. The head of Christ served as reliquary.

Parmi les trésors de la cathédrale mentionnons le puissant candélabre à sept branches qui aurait été confectionné à la demande d'Henri de même que la «Croix d'Imervard» (petite photo). Ce crucifix, plus grand que nature, date du milieu du 12e siècle. La tête du Christ est un reliquaire.

Am Rathaus mit seinen neugotischen Zierformen geht so schnell kein Blick vorbei. Was um die Jahrhundertwende als schick galt, zieht auch jetzt noch zahlreiche Besucher an – und das keineswegs nur für Behördengänge: Vom Rundbalkon des Rathaus-Turmes genießt man einen herrlichen Blick über die Stadt.

No one can give the Town Hall, with its neo-Gothic ornamentation, only a quick glance. What was stylish at the turn of the century still attracts numerous visitors today, and by no means, only those with business to take care of. From the balcony around the Town Hall tower, you can enjoy a wonderful view of the city.

Les éléments décoratifs néo-gothiques de l'hôtel de ville attirent le regard. Ce qui passait pour chic au début du siècle séduit encore de nombreux visiteurs qui ne viennent pas seulement pour des formalités administratives: Du balcon rond de la tour de l'hôtel de ville on jouit d'une merveilleuse vue sur la ville.

»Kleine Burg« heißt einer der wenigen erhaltenen historischen Straßenzüge. Diese Häuser wurden um 1500 vom Stift St. Blasii erbaut und von den Stiftsherren als Wohnungen genutzt. Heute befindet sich hier das Kundenzentrum der Stadtwerke Braunschweig.

"Kleine Burg" is one of the few historically preserved streets. These houses were built by the Saint Blasius Diocese, in 1500, as apartments for the clergy. Today, they house the customer information center of the Brunswick Public Utilities Company.

Ces rues appelées «Kleine Burg» sont parmi celles, peu nombreuses qui comptent encore des maisons historiques. Elles furent construites vers 1500 par le chapitre de Saint-Blaise. Les messieurs du chapitre y résidaient. A présent elles abritent le service aux clients de la compagnie des Travaux Municipaux de Brunswick.

Wer unabhängig vom Wetter schlendern und schlemmen, kramen und kaufen will, ist in der Welfenpassage und der großzügigen Burgpassage gut aufgehoben. Unter lichten Glasdächern lockt eine bunte Galerie von Fachgeschäften, Boutiquen, Büchershops und Obstläden.

In the Welfenpassage and the spacious Burgpassage, you can stroll and snack, browse and buy, regardless of weather. Under bright glass roofs, a colorful variety of specialty shops, boutiques, book stores and fruit stands await you.

Dans le Welfenpassage et le spacieux Burgpassage le promeneur pourra flâner, farfouiller, faire bombance ou faire des achats sans se soucier du mauvais temps. Sous des toits de verre, dans la lumière du jour, il sera séduit par cette enfilade de boutiques de toutes sortes, librairies, magasins de vêtements, de fruits etc.

McDonald's
MÖVENPICK
Shop
WUNDERBAR
Neue Speisekarte
mit köstlichen
Gerichten!

Die Kunst im Stadtbild ist nicht nur von gestern. Beim Bummel durch die Fußgängerzone begegnet man zahlreichen zeitgenössischen Skulpturen und Brunnen. So liefern sich im Schatten der Schaufenster zwei Ringer aus Bronze einen ewigen Kampf: Der Braunschweiger Jürgen

The art to be found in the city is not all from yesteryear. When strolling through the pedestrian zone, you will encounter several contemporary sculptures and fountains. Two bronze wrestlers are locked in an eternal fight in the shadow of a display window. The artist of Bruns-

Les œuvres d'art de la ville ne sont pas toutes anciennes. En flânant dans la zone piétonnière on rencontre de nombreuses sculptures et des fontaines contemporaines. Ainsi, à l'ombre des vitrines deux lutteurs de bronze se livrent un combat éternel. L'artiste de Brunswick, Jürgen

Weber setzte den Muskelprotzen Mitte der 70er Jahre in der Straße Sack dieses Denkmal (links). Gleich nebenan sorgt der Katzenbrunnen von Siegfried Neuenhausen für einen spielerischen Akzent (rechts).

wick, Jürgen Weber, placed these muscular show-offs in Sack street in the mid 1970's (left). Close by, Siegfried Neuenhausen's "Katzenbrunnen" adds a playful accent (right).

Weber créa ce monument dans les années soixante-dix. Il se trouve dans la rue Sack (à gauche). Tout près de là, la fontaine aux Chats de Siegfried Neuenhausen apporte une note de fantaisie (à droite).

Was gibt es schöneres als zwischen Einkaufsbummel und Geschäftsterminen eine kleine Pause in einem der vielen Straßencafés einzulegen und bei Kaffee, Tee, einem kühlen Drink oder einem großen Eisbecher ein paar Minuten zu entspannen.

What could be nicer than to take a short break between shopping errands and business appointments in one of the many street cafés and relax over a cup of coffee or tea, a cool drink or a large portion of ice cream.

Quoi de plus agréable que de se permettre une petite halte entre achats et rendez-vous d'affaires dans l'un des nombreux cafés-terrasses et de se détendre un moment en prenant un café, un thé, une boisson fraîche ou une grande portion de glace.

Die Alte Waage, das einst bedeutendste freistehende Fachwerkhaus Norddeutschlands (von 1543) wurde durch Brandbomben im Jahr 1944 völlig zerstört. Das ehemalige Speicher- und Waaghaus für Wolle, Getreide und Mehl, wurde in den Jahren von 1990 bis 1994 in alter handwerklicher Manier detailgetreu rekonstruiert und ist heute Sitz der Volkshochschule.

Alte Waage, once the most outstanding detached half-timbered house in northern Germany (dating from 1543), was completely destroyed by fire bombs in 1944. The former storehouse and weighing-house for wool, grain and flour was reconstructed, true to the original, using the old, traditional methods of craftsmen and is now the home of the Volkshochschule (adult education center).

L'«Alte Waage» de 1543, jadis l'édifice détaché à colombages le plus important d'Allemagne du nord, fut complètement détruit par les bombardements de 1944. Cet ancien entrepôt et poids de ville pour la laine, les grains et la farine fut reconstruit dans les moindres détails de 1990 à 1994, selon les règles de l'artisanat de jadis. Il accueille à présent le siège de l'université des adultes.

LAMANDER
Britzingen
Winzergenossenschaft

Wo sich heute Spaziergänger und Straßenmusikanten tummeln, erhob sich im 11. Jahrhundert die Ulrichskirche, die 1544 abgerissen wurde. Schönster Blickfang auf dem Kohlmarkt heute: Das Haus zur Rose und das im neuen Glanz erstrahlende Sternhaus. Den Altstadtmarkt (oben) haben die Stürme der Geschichte verschont: Das Zollhaus steht hier schon seit 1643, und das Rathaus gilt als eines der ältesten Deutschlands.

The Ulrich Church was erected in the 11th century. Strollers and street musicians now roam where it once stood. The church was torn down in 1544. The most beautiful eye-catcher at Kohlmarkt today: "Haus zur Rose" and "Sternhaus", which shines in new splendor. The ravages of history spared the Altstadtmarkt (above). The customs house has stood here since 1643 and the Town Hall is one of the oldest in Germany.

L'église Ulrichskirche s'élevait au 11e siècle à cet endroit occupé aujourd'hui par les musiciens ambulants et les badauds. Elle fut démolie en 1544. Situées sur le Kohlmarkt, elles attirent tous les regards: La «Haus zur Rose» et la «Sternhaus» qui resplendit d'un nouvel éclat. Les tempêtes de l'histoire ont épargné l'Altstadtmarkt (ci-dessus): La Douane s'y dresse depuis 1643 et l'hôtel de ville passe pour être l'un des plus vieux d'Allemagne.

Das Altstadtrathaus aus dem 14. Jahrhundert stellt eines der schönsten mittelalterlichen Baudenkmäler Braunschweigs dar. Wer genau hinschaut, entdeckt an der Fassade die Skulpturen sächsischer und welfischer Fürsten. Der Marienbrunnen zeugt von der Blüte spätgotischen Kunsthandwerks. Er wurde 1408 aus Blei gegossen.

The Altstadtrathaus (town hall) from the 14th century, is one of the most beautiful historical monuments of the Middle Ages in Brunswick. If you look closely, you can see the statues of Saxon and Guelphic Nobles on the facade. The Marienbrunnen (fountain) bears witness to the blossoming late-Gothic crafts. It was poured in lead in 1408.

L'ancien hôtel de ville (Altstadtrathaus) du 14e siècle est l'un des plus beaux édifices médiévaux de Brunswick. Qui regarde attentivement découvre sur la façade les sculptures de princes saxons et Welf. La fontaine Marienbrunnen témoigne du haut niveau des métiers d'art de la fin de la période gothique. Elle fut coulée en bronze en 1408.

Der Altstadtmarkt wird überragt von der Martinikirche, die um 1190 entstand. Aus der ursprünglich gewölbten Pfeilerbasilika entwikkelte sich allmählich eine geräumige Hallenkirche. Ihre prachtvolle Innenausstattung ist überwältigend: Die Alabaster-Kanzel aus dem 17. Jahrhundert und der 1631 geschnitzte Orgelprospekt zeugen von einzigartiger Handwerkskunst.

The Martini Church, erected in 1190, towers over the Altstadtmarkt. The original vaulted buttress basilica gradually developed into a spacious hall church. Its splendid interior decor is overwhelming. The alabaster pulpit from the 17th century and the carved organ casing from 1631 are examples of unique craft work.

La vieille place du marché (Altstadtmarkt) est dominée par l'église St-Martin qui date de 1190. La basilique voûtée à piliers fut transformée graduellement en une église-halle spacieuse. La magnificence de sa décoration intérieure est impressionnante. La chaire d'albâtre du 17e siècle et le buffet d'orgue sculpté, datant de 1631, témoignent d'un artisanat unique en son genre.

Auch die Apotheke am Hagenmarkt fiel den Brandbomben im Jahre 1944 zum Opfer. Heute ist dieses schöne Portal wieder ein attraktiver Blickfang.

The pharmacy at Hagenmarkt also fell victim to fire bombs in 1944. Today this lovely portal is again an attractive eye-catcher.

La pharmacie sur le Hagenmarkt fut, elle aussi, la proie des bombes de 1944. Aujourd'hui son beau portail attire, de nouveau, le regard.

Die Gewandschneider liebten es üppig. Die Fassade ihres Kaufhauses, das 1303 erstmals erwähnt wurde, erhielt Ende des 16. Jahrhunderts den letzten Schliff. Bis heute ziert die Ostseite des Gewandhauses ein imposantes Renaissance-Make-up. Die beste Aussicht räumte man dem Engel der Gerechtigkeit ein: Er thront auf der Spitze.

The guild tailors loved lavishness. The facade of their guild house, the first reference to which is from 1303, received finishing touches at the end of the 16th century. The east side of the building is still decorated in imposing Renaissance style. The Angel of Justice, enthroned on the tower point, has the best view of all.

Les drapiers aimaient l'abondance. La façade de leur magasin, mentionné pour la première fois en 1303 reçut le dernier coup de polissage à la fin du 16e siècle. La façade orientale est ornée d'une imposante décoration Renaissance. La meilleure vue à été réservée à l'ange de la justice: il couronne l'ensemble.

In der Alten Knochenhauerstraße sind die ältesten Fachwerkhäuser der Stadt versammelt. Beim Bummel zwischen Treppenfries mit gotischen Maßwerkmotiven, Balkenköpfen und Figurenknaggen wird das 15. Jahrhundert wieder lebendig.

The oldest half-timbered houses in the city can be found in Alten Knochenhauerstraße. The 15th century comes alive when strolling among the stairway friezes with Gothic tracery motifs, beam heads, and carved facings.

Dans la vieille Knochenhauerstraße se trouvent les plus vieilles maisons à colombages de la ville. Le 15e siècle revit pour qui se promène parmi les pignons décorés de meneaux, de poutres, de nœuds de figures gothiques.

in prächtiger Blickfang ist auch das Haus zur Ianse, das ein Ratsherr im Jahre 1567 als Vohn- und Geschäftshaus errichten ließ. Aus ieser Zeit stammen die Bandwellen-Schnitzeeien an den Balken. 1896 wurde die Fassade im til der frühen Renaissance verändert.

The Haus zur Hanse, built as residence and place of business for a councilman in 1567, is a magnificent eye-catcher. The beams, carved in wave-like patterns, are from that time. The facade was remodeled in Renaissance style in 1869.

La «Haus zur Hanse» qu'un conseiller municipal fit construire en 1567 comme maison d'habitation et magasin fait aussi un fort bel effet. Les sculptures en ruban sur les poutres datent de cette période. La façade fut modifiée en 1869 dans le style du début de la Renaissance.

Der Alte Bahnhof wurde in den Jahren 1843-45 nach Plänen des Architekten Carl Theodor Ottmer erbaut. Heute ist das ehemalige Empfangsgebäude Sitz der Nord LB.

The Old Railway Station was built according to the plans of architect Carl Theodor Ottmer from 1843-45. Today the former reception building is the headquarters of Nord LB.

La Vieille Gare fut construite en 1843-45 d'après les plans de l'architecte Carl Theodor Ottmer. A présent l'ancien hall est devenu le siège de la Nord LB.

Sein Denkmal darf nicht fehlen: Der Dichter und Philosoph Gotthold Ephraim Lessing verbrachte in Braunschweig und Wolfenbüttel, wo er seit 1770 als Bibliothekar arbeitete, die letzten elf Jahre seines Lebens. Auch wenn hier sein privates Glück durch den frühen Tod von Frau und Sohn zerbrach – mit Werken wie »Nathan der Weise« von 1779 machte er sich als Wegbereiter einer deutschen Nationalliteratur unsterblich.

You will find, of course, a statue of the play write and philosopher, Gotthold Ephraim Lessing. He spent the last eleven years of his life in Brunswick and Wolfenbüttel, where he worked as librarian starting in 1770. Though his personal happiness was shattered by the early death of his wife and son, he is immortalized as the precursor of German literature with such works as "Nathan the Wise", from 1779.

Son monument ne doit pas manquer: Le poète et philosophe Gotthold Ephraim Lessing passa à Brunswick et à Wolfenbüttel où il était bibliothécaire depuis 1770, les dernières onze années de sa vie. Malgré la détresse de sa vie privée, causée par la mort précoce de sa femme et de son fils, ses œuvres, comme «Nathan le Sage» de 1779, qui préparaient la voie à la litterature nationale allemande, le rendirent immortel.

Auf dem höchsten Punkt der Innenstadt liegt St. Aegidien, die Benediktiner Anfang des 12. Jahrhunderts als Klosterkirche errichteten. 1978 erhielt sie einen neuen, wenn auch betagten Nachbarn: das frühere Domizil des Dramatikers Johann Anton Leisewitz (1752–1806). Sein Haus wurde kurzerhand hierher versetzt. Die Stadtmauer aus dem 12. Jahrhundert fristet dagegen nur noch ein Dasein als Fragment (links).

On the highest point in the city center lies St. Aegidien, the monastery church erected at the beginning of the 12th century by the Benedictines. In 1978 it got a new, old neighbor: the former residence of the dramatist, Johann Anton Leisewitz (1752–1806). His house was moved here without further ado. Only a fragment of the city wall from the 12th century remains (left).

L'église St-Aegidien est située sur le point le plus élevé du centre-ville. Construite au début du 12e siècle, c'était l'église d'une abbaye bénédictine. En 1978 on lui donna un voisin nouveau bien que chargé d'ans: L'ancienne résidence de l'auteur dramatique Johann Anton Leisewitz (1752–1806). Sa maison fut, tout simplement, déplacée ici. Les remparts du 12e siècle, pour leur part, ne subsistent qu'à l'état de vestiges (à gauche).

Das Magniviertel gilt als Schmuckstück unter den »Traditionsinseln« Braunschweigs. Trotz mittelalterlicher Kulisse der über 900 Jahre alten Pfarrkirche St. Magni und des berühmten Lessing-Grabes: Dieses museumsreife Fleckchen ist quicklebendig. Das alljährliche Straßenfest im Sommer ist nur ein Beweis dafür.

The Magni District is considered the gem of all the Brunswick "islands of tradition". This museum quality corner, with surroundings from the Middle Ages, the over 900 year old parish church, St. Magni, and the famous Lessing Grave is always very active, including during the yearly street festival in summer.

Le quartier de St-Magnus est considéré comme un bijou parmi les «îlots de tradition» de Brunswick. Malgré le décor médiéval, l'église St-Magnus vieille de plus de 900 ans et la célèbre tombe de Lessing, ce petit emplacement digne d'être un musée, est des plus vivants. La fête en plein air qui y a lieu tous les ans en est une preuve parmi d'autres.

ines der ältesten deutschen Rathäuser ist das
ı seinem Kern aus dem 13. Jahrhundert stam-
ıende Neustadt-Rathaus (links). Es wurde
974 in Privatinitiative wiederhergestellt und
ient heute teilweise einer Schule.
Ver in die Reichsstraße Nr. 3 will, sollte Zeit
ıitbringen: Das Eingangsportal verbietet ein-
ach jeden Eilschritt. Mit dem mächtigen Tor,
em Wappenaufsatz und den fünf Tugend-
estalten zählt das Achtermannsche Haus zu
en Prunkstücken Braunschweiger Portale.

'he core of the 13th century Neustadt-Rathaus
eft) is one of the oldest town halls in Germany.
t was restored in 1974 through private finan-
ing and part of it now houses a school.
'hose who want to visit Reichsstraße No. 3
hould allow plenty of time. You should not
valk by the portal quickly. The massive gate of
he Achtermannsche Haus is one of the show-
ieces among the gates of Braunschweig.

'un des plus vieux hôtels de ville d'Allemagne,
e Neustadt-Rathaus dont le noyau date du 13e
iècle (à gauche). Il fut reconstruit grâce à une
nitiative privée en 1974 et abrite, en partie, une
cole.
Qui veut aller au no 3 de la Reichsstraße doit
rendre son temps. Le portail d'entrée interdit
oute hâte. Le puissant portail de l'Achter-
nannsche Haus est un bijou parmi les portails
le Brunswick.

Die ab 1200 als Pfeilerbasilika errichtete Katharinenkirche am Hagenmarkt wurde im 13. und 14. Jahrhundert zur gotischen Hallenkirche umgebaut. Bei umfangreichen Renovierungsarbeiten der durch den Krieg hervorgerufenen Schäden, wurden die Gliederungselemente im Innern wieder farbig gefaßt und die Türme in ihrer ursprünglichen Form wiederhergestellt.

Katharinenkirche at Hagenmarkt, which was built as a buttressed basilica beginning in 1200, was rebuilt as a Gothic church in the 13th and 14th century. During extensive renovation work to repair damage caused by the war, the structural elements inside were given new color and the towers were restored to their original form.

La Katharinenkirche, basilique à piliers construite sur le Hagenmarkt à partir de 1200, fut reconstruite aux 13 et 14e siècles et transformée en église-halle gothique. Des travaux de rénovation exhaustifs, rendus nécessaires par les dommages de la guerre, ont redonné leur couleur aux éléments de l'agencement intérieur et les clochers ont retrouvé la silhouette qu'ils avaient à l'origine.

Ebenfalls am Hagenmarkt: Der Heinrichsbrunnen. Der doppelstöckige Schalenbrunnen mit Bronzebildwerken (u.a. Heinrich der Löwe mit einem Modell von St. Katharina), wurde 1873 von Stadtbaurat L. Winter und dem Bildhauer E. Breymann geschaffen.

Also situated at Hagenmarkt: Heinrichsbrunnen. The two-level fountain with bronze figures (including Henry the Lion with a model of St. Katharina) was created by the head of the town building department, L. Winter, and sculptor E. Breymann.

Située également sur le Hagenmarkt: la Fontaine d'Henri. Cette fontaine à vasques à deux étages avec des personnages de bronze (parmi eux, Henri le Lion avec un modèle de Sainte-Catherine) fut réalisée en 1873 par le conseiller pour l'architecture municipale L. Winter et le sculpteur E. Breymann.

Aus der ehemaligen Dorfkirche St. Andreas wurde Anfang des 13. Jahrhunderts eine Hallenkirche nach Vorbild des Domes. Ihr Südturm ist mit 93 Metern der höchste Kirchturm der Stadt.

St. Andreas, once a village church, was converted into a hall church in the 13th century, modeled after the cathedral. Its 93 meter high church tower is the highest in the city.

L'ancienne église de village St-André fut transformée, au début du 13e siècle, sur le modèle de la cathédrale, en une église-halle. Sa tour sud est, avec ses 93 m, la plus haute de la ville.

Die östlich der Kirche gelegene Pfarrbibliothek (Liberei) von 1422 gilt als älteste freistehende Bibliothek und einziger mittelalterlicher Backsteinbau, der Braunschweig erhalten blieb.

The parish library ("Liberei") from 1422 situated east of the church is considered to be the oldest detached library building and the only medieval brick edifice that has remained intact in Braunschweig.

La bibliothèque paroissiale de 1422 (Liberei), située à l'est de l'église, est considérée comme la plus vieille bibliothèque anénagée dans un édifice détaché et la seule construction de brique médiévale de Brunswick qui nous soit parvenue.

Handel und Wirtschaft

Braunschweig genießt einen hervorragenden Ruf als Wirtschaftsstandort. Als Verlagsstadt wurde es schon im 19. Jahrhundert von Georg Westermann und Friedrich Vieweg entdeckt. Die Industrialisierung brachte weitere Impulse. Heute gehört die Stadt zu den ersten Adressen für Maschinen- und Fahrzeugbau, Feinmechanik und optische Industrie. Hier werden auch die berühmten Klaviere von Grotian-Steinweg

Brunswick has the reputation of being an excellent location for business. It was already discovered as a publishing center by George Westermann and Friedrich Vieweg in the 19th century. Industrialization brought further momentum. Today, the city is one of the most important centers for machine and vehicle construction, precision engineering, and the optics industry. The famous pianos of Grotian-Stein-

L'économie de Brunswick jouit aussi d'une excellente réputation. Georg Westermann et Friedrich Vieweg en firent, dès le 19e siècle, une ville d'édition. L'industrialisation apporta de nouvelles impulsions. Aujourd'hui la ville est l'une des meilleures adresses pour ce qui est de la construction de machines, de véhicules, d'appareils optiques et de précision. C'est ici que sont fabriqués aussi les fameux pianos de

und Schimmel hergestellt. Der frühere Standortnachteil durch die Grenznähe zur DDR wurde durch den Ausbau des Verkehrsnetzes nach Westen ausgeglichen. Seit 1933 verfügt Braunschweig über den Hafen Veltenhof (links), der sich inzwischen auch zu einem Umschlagplatz für Europaschiffe (1350 t) gemausert hat. Durch den Mittellandkanal (oben) ist der Anschluß an alle Binnenwasserstraßen garantiert.

weg and Schimmel are also produced here. The earlier disadvantage of the close proximity to the border of East Germany was compensated by the expansion of the traffic network to the west. Brunswick has had the Veltenhof Harbor (left), since 1933. It has developed into a transshipment center for the class Europaschiffe (1350 t). The Mittellandkanal (above) provides connections to all inland waterways.

Grotian-Steinweg et de Schimmel. La proximité de la frontière de la RDA, qui fut d'abord un inconvénient, a été compensée par le développement des voies de communication à l'ouest. Depuis 1933, Brunswick dispose du port de Veltenhof (à gauche) qui s'est transformé, depuis lors, en un lieu de transbordement pour les bateaux de la ligne Europa (1350 t). La ville est rattachée a navigation fluviale par le canal du Mittelland (ci-dessus).

Wissenschaft und Forschung werden in Braunschweig großgeschrieben. Hier haben die Physikalisch-Technische Bundesanstalt ebenso ihren Sitz wie die Bundesforschungsanstalt für Landwirtschaft und die Biologische Bundesanstalt für Land- und Forstwirtschaft. Die Tech-

Great importance is attached to science and research in Braunschweig. The Federal Institute of Physics and Technology is located here, as well as the Research Institute of Agriculture and the Biological Institute of Agriculture and Forestry. The Technical University (above) is

La science et la recherche sont à l'honeur à Brunswick. L'Organisme Fédéral de Physique et Technique, l'Organisme Fédéral de Recherche d'Agriculture et l'Organisme Fédéral de Biologie pour l'Agriculture et l'Exploitation Forestière ont ici leur siège. La Technische

ische Universität (links) zählt zu den führenden deutschen Hochschulen. Sie ging aus dem 1745 gegründeten Collegium Carolinum hervor und ist damit die älteste Technische Hochschule Deutschlands. Zur Universität gehört auch der über 150 Jahre alte Botanische Garten,

one of Gemany's leading universities. It developed from the Collegium Carolinum, founded in 1745, and is the oldest technical university in Germany. The over 150-year-old botanical gardens, which are also part of the university, are always a colorful and infor-

Universität (à gauche) est l'une des principales institutions d'enseignement supérieur. Elle se développa à partir du Collegium Carolinum, fondé en 1745, ce qui en fait la plus vieille école technique d'Allemagne. Le Jardin Botanique, vieux de plus de 150 ans, fait partie,

der mit seinen weitläufigen Anlagen und Gewächshäusern und über 4000 Pflanzen aus allen Erdteilen und Klimazonen immer ein farbiges und informatives Erlebnis ist.

mative experience with extensive grounds and greenhouses and more than 4000 plants from all parts and climatic zones of the world.

lui aussi, de l'université. Avec ses vastes espaces ses grandes serres et ses quelques 4000 plantes provenant de toutes les parties du monde et de tous les climats, il constitue toujours une expérience très informative et haute en couleur

Grüne Oasen

Früher trabten sie vor dem Residenzschloß, heute haben die beiden Reiter ihren Platz am Löwenwall gefunden: In Erinnerung an die Befreiungskriege hatte man 1874 den gefallenen Braunschweiger Herzögen Wilhelm Ferdinand und Friedrich Wilhelm diese kupfernen Standbilder errichtet.

The riders used to trot in front of the royal seat. Today, you can find them at the Löwenwall. These copper statues were erected in 1874, in remembrance of the dukes of Brunswick, Wilhelm Ferdinand and Friedrich Wilhelm, who fell in the wars of liberation.

Ces deux cavaliers, placés jadis devant la résidence princière, sont maintenant au Löwenwall: Les deux statues de bronze furent élevées à la mémoire des ducs de Brunswick Ferdinand et Friedrich Wilhelm, morts pendant la guerre de Libération en 1874.

Ein Park ist alles, was vom Schloß übrig blieb (rechts). Der Bau aus den 30er Jahren des vorigen Jahrhunderts wurde 1944 bei einem Bombenangriff zerstört, seine Ruine 1960 abgerissen. Die Braunschweiger haben den Platz als grüne Oase für sich vereinnahmt, ebenso wie die Löwenwallanlagen, wo ein Obelisk an die beim Kampf gegen Napoleon gefallenen Herzöge erinnert.

Le parc est tout ce qui reste du château (à droite). L'édifice, datant des années 30 du siècle dernier, fut détruit par les bombes en 1944. Les ruines en furent démolies en 1960. Les habitants de Brunswick prirent possession de cet oasis de verdure, de même que des jardins du Löwenwall où un obélisque a été élevé à la mémoire des ducs tombés dans les guerres contre Napoléon.

A park is all that remains of the castle (right). The construction from the 1830s was damaged in a 1944 bomb attack. The ruins were torn down in 1960. The inhabitants of Braunschweig turned it into a green oasis, along with the Löwenwall grounds, where an obelisk commemorates the noblemen who fell in the war against Napoleon.

Im Süden der Stadt erstreckt sich seit der Jahrhundertwende ihre größte grüne Insel, der Bürgerpark. In Tuchfühlung mit der Oker kommen auch heute noch Romantiker auf ihre Kosten. Was hier so manchen als Stilleben verzaubert, ist der Portikus einer Kaserne aus dem frühen 19. Jahrhundert.

The Municipal Park is an island of green in the southern part of the city and the romantics will enjoy strolling along the Oker. What may appear a charming still life to some, is actually a barrack's portal from the early 19th century.

Au sud de la ville se trouve la plus grande île de verdure de Brunswick: le Bürgerpark. Il fut aménagé au début du siècle. Une promenade le long de l'Oker plaira aux esprits romantiques. Ce paysage enchanteur est le portique d'une caserne du début du 19e siècle.

Paradeplatz der Musen

Das Staatstheater, 1861 im Stil der Florentiner Renaissance erbaut, begann seine Karriere vor 300 Jahren als Herzogliches Hoftheater. Es war nicht nur Premierenschauplatz für Lessings bürgerliches Trauerspiel »Emilia Galotti«, sondern auch für Goethes »Faust I«, für den sich hier 1829 zum ersten Mal der Vorhang hob.

The National Theater, built in Florentine Renaissance style in 1861, started its carrier 300 years ago as the ducal court theater. It was not only the location of the premiere of Lessing's tragedy, "Emilia Galotti", but also raised its curtain in 1829 for the first performance of Goethe's "Faust I".

Le Staatstheater, reconstruit en 1861 dans le style de la Renaissance florentine a un passé vieux de 300 ans. C'était jadis le théâtre de la cour ducale. On y donna non seulement la première représentation du mélodrame bourgeois de Lessing «Emilia Galotti» mais aussi le «Faust I» de Goethe pour lequel le rideau se leva ici, pour la première fois, en 1829.

Diese Villa hat es in sich: Am Löwenwall sind rund 6000 Objekte historischen und modernen Gebrauchsgeräts Mitteleuropas aus zwei Jahrtausenden zu bewundern. Die Formsammlung des Städtischen Museums wurde seit 1942 im Auftrag der Stadt zusammengetragen.

This villa really has it. Over 6,000 historical and modern everyday utensils of the last two thousand years from central Europe are on display at the Löwenwall. The city approved the collection of the objects for Municipal Museum in 1942.

Cette villa du Löwenwall a beaucoup à offrir: On peut y admirer près de 6000 objets, ustensiles anciens et modernes d'Europe centrale s'étalant sur deux siècles. La ville chargea le musée Municipal de collectionner ces objets en 1942.

Einen abenteuerlichen Ausflug vor allem für Kinder verspricht das Naturhistorische Museum. Neben zahlreichen Schausammlungen und aktuellen Sonderausstellungen bilden das Aquarium, ein Bienen-Beobachtungsstock und 26 Dioramen, die heimische Tiere in ihren natürlichen Lebensräumen vorstellen, die Schwerpunkte.

The Natural History Museum is an adventure, especially for children. In addition to numerous collections on display and changing special exhibits, the aquarium, a bee hive you can see inside of, and 26 dioramas showing native animals in their natural habitats are the main attractions.

Une visite au Naturhistorische Museum promet bien des aventures, surtout aux enfants. De nombreuses collections, des expositions d'actualité, l'aquarium. Une ruche dans lequelle on peut observer les abeilles, et 26 diorama qui présentant les animaux indigènes dans leur habitont naturel sont les principales attractions.

Das Städtische Museum verdankt seine Gründung in der zweiten Hälfte des 19. Jahrhunderts bürgerlicher Initiative. Seine umfangreichen Bestände zu den Bereichen Stadtgeschichte, Handwerk und Industrie, Kunst- und Kulturgeschichte, Münzwesen, Religiöse Zeugnisse,

The founding of the Municipal Museum in the second half of the 19th century came about thanks to the efforts of a citizens' action group. Its large collections, covering the city's history, craft trades and industry, art and cultural history, minting, religious exhibits as well as

Le Städtische Museum fut fondé dans la deuxième moitié du 19e siècle sur une initiative de habitants de la ville. On peut voir une partie de ses volumineuses collections au Löwenwall. Elles concernent l'histoire de la ville, l'artisanat et l'industrie, l'histoire de l'art et de la culture,

Völkerkundliche Sammlungen, sind heute nicht nur am Löwenwall zu besichtigen, sondern auch im Altstadtrathaus. In seinem Kellergewölbe hat die völkerkundliche Abteilung ihr Domizil.

ethnological collections, are on display not only at Löwenwall but also in the Altstadtrathaus. The ethnology division can be found in its cellar vaults.

le système monnétaire, l'ethnologie ainsi que des objets à caractère religieux. L'Altstadtrathaus en abrite d'autres. La section d'ethnologie est aménagée dans les caves voûtées de ce dernier.

Das Herzog Anton-Ulrich-Museum gehört zu den umfangreichsten Kunstsammlungen Norddeutschlands und gilt als ältestes Museum Deutschlands. Es trägt den Namen jenes Fürsten, der vor 300 Jahren die Braunschweiger Gemäldegalerie geschaffen hat. Die von ihm erworbenen Meisterwerke, wie etwa dieses »Familienbild« von Rembrandt, sind heute weltbekannt.

The Duke Anton-Ulrich Museum has one of the most extensive art collections in northern Germany and is said to be Germany's oldest museum. It bears the name of the nobleman who established the Brunswick gallery of paintings, 300 years ago. The masterpieces he acquired, such as Rembrandt's "Family Portrait", are world famous.

Le musée du Duc Anton Ulrich est l'une des collections d'œuvres d'art parmi les plus importantes d'Allemagne. C'est aussi le plus vieux musée du pays. Il porte le nom du prince qui, il y a 300 ans, fonda la galerie de peintures de Brunswick. Les chefs d'œuvre qu'il acquit, comme ce «Portrait de Famille» de Rembrandt, sont aujourd'hui célèbres dans le monde entier.

Die Burg Dankwarderode beherbergt Kunst des Mittelalters. Hier sind neben Objekten des einstigen Welfenschatzes kostbare Reliquiare, Evangeliare (Foto), liturgische Geräte sowie Meßgewänder aus Braunschweiger Kirchen und Klöstern zu sehen.

Dankwarderode Castle houses art of the Middle Ages. In addition to former Guelphic treasures it has reliquaries, illustrated bibles (photo), liturgical equipment, and ceremonial vestments from various churches and cloisters in Brunswick.

La château de Dankwarderode abrite des œuvres d'art du Moyen Age. En plus d'objets ayant appartenu à l'ancien trésor des Welf, on y trouve de précieux reliquiaires, des évangéliaires (photo), des objets liturgiques et des chasubles provenant d'églises et de monastères de Brunswick.

Um dieses Buch im Dom scharen sich stets Menschentrauben – auch, wenn es sich nur um ein Faksimile handelt: das Original des Evangeliars Heinrichs des Löwen, 1983 für die Rekordsumme von 32,5 Millionen DM in London zurück ersteigert, verschwand 1989 in Wolfenbüttel in einem Stahltresor. Die 220 Doppelseiten von Mönch Herimanni vor über 800 Jahren verfaßten Evangelientexte haben die Zeit fast unversehrt überstanden.

Masses of people are always gathered around this book in the cathedral, although it is only a copy. The original, the Bible of Heinrich der Löwe, sold in 1983 for the record sum of 32.5 million marks at a London auction. In 1989, it disappeared into a steel safe in Wolfenbüttel. The bible, with 220 double-sides, hand-written by the monk, Herimanni, over 800 years ago has survived almost perfectly intact.

Autour de ce livre, dans la cathédrale, se pressent toujours les foules – bien qu'il ne s'agisse que d'une copie: L'original de l'évangéliaire d'Henri le Lion fut recouvré en 1983 dans une vente aux enchères de Londres pour la somme de 32,5 millions de marks. Il disparut dès 1989 dans un coffre-fort de Wolfenbüttel. Les 220 pages double avec le texte de l'évangile écrit par le moine Herimanni, il y a plus de 800 ans, ont traversé le temps presque sans dommage.

Braunschweig am Wochenende

Das Freizeit- und Bildungszentrum mit seinem vielfältigen Programm zählt zum kulturellen Glanzpunkt der Stadt. Sein Markenzeichen: ein Druckturm aus dem Jahre 1864, der einst zu einem Wasserwerk gehörte.

The Recreational and Educational Center, with its varied program offering, is one of the cultural highlights of the city. Its symbol is a water tower from the year 1864, which originally belonged to a waterworks.

Le Centre de Récréation et d'Enseignement dont le programme est très diversifié est l'une des attractions culturelles de la ville. Son emblème: un château d'eau datant de 1864 qui faisait partie autrefois de l'usine d'eaux de la ville.

Dieses spätbarocke Schlößchen über der Oker-aue wurde einst gebaut, um Heimweh zu stillen: Die englische Herzogin Augusta, Gemahlin des braunschweigischen Erbprinzen Carl Wilhelm Ferdinand ließ das Lustschloß 1769 inmitten eines Parks errichten und gab ihm den Namen ihrer Heimat: Richmond. Heute dient es städtischen Empfängen und Konzerten.

This late-baroque little castle, above the banks of the Oker, was built to alleviate homesickness. The English Duchess Augusta, wife of Carl Wilhelm Ferdinand, heir to the throne, had this play-castle built in a park in 1769. She named it after her home, Richmond. Today, it is used for municipal receptions and concerts.

Ce petit château baroque dominant la prairie de l'Oker, fut construit pour apaiser le mal du pays: La duchesse anglaise Augusta, épouse du prince héritier de Brunswick Carl Wilhelm Ferdinand, fit construire ce château de plaisance en 1769 au milieu d'un parc et lui donna un nom de chez elle: Richmond. Des réceptions et des concerts donnés par la ville y ont lieu aujourd'hui.

In Riddagshausen finden sich noch die Reste einer Klosteranlage der Zisterzienser aus dem 12. Jahrhundert. Nach dem 30jährigen Krieg wurde das Kloster herzogliche Domäne, Mitte des 19. Jahrhunderts riß man die Konventsgebäude ab. Übrig blieben nur die frühere Klosterkirche, Torhaus, Kapelle und ein Teil der Klosterpforte.

In Riddagshausen are the remains of a Cistercian cloister complex from the 12th century. The cloister became ducal domain after the Thirty Years War. In the 19th century the convent buildings were torn down. All that remain are the former cloister church, the gate house, the chapel, and a section of the cloister gate.

A Riddagshausen se trouvent encore les vestiges d'une abbaye cistercienne du 12e siècle. Après la guerre de Trente Ans elle devint domaine ducal et fut démolie au milieu du 19e siècle. Seuls le bâtiment d'entrée, l'ancienne église du monastère, la chapelle et une partie du portail du cloître ont servécu.

Wolfenbüttel ist mit der Geschichte Braunschweigs eng verknüpft. Neben dem Schloß, dem niedersächsischen Staatsarchiv und dem Lessinghaus lockt vor allem die Herzog-August-Bibliothek Hunderte von Besuchern an. Sie umfaßt heute etwa 46 000 Schriften vom Mittelalter bis zur Neuzeit und gehört zu den drei bedeutendsten Bibliotheken der Welt.

Wolfenbüttel is closely associated with the history of Brunswick. In addition to the castle, the Lower-Saxony State Archives, and the Lessing House, the Duke August Library draws hundreds of visitors. It has approximately 46,000 manuscripts, dating from the Middle Ages to modern times. It is one of the three most significant libraries in the world.

Wolfenbüttel est lié étroitement à l'histoire de Brunswick. Les visiteurs y viennent pour voir le château, les Archives d'Etat de Basse-Saxe, la maison de Lessing mais c'est la bibliothèque du duc Auguste qui en attire le plus. Elle comprend environ 46 000 écrits allant du Moyen Age à nos jours. C'est l'une des trois plus importantes bibliothèques du monde.

Sei es im August und September die Blütenpracht der Lüneburger Heide oder der Harz mit seinen vielen Möglichkeiten zum Wandern, Kraxeln und Wintersport, durch Braunschweigs idealer Lage zwischen Harz und Heide bieten sich schnell erreichbare Ausflugsziele für jeden Geschmack.

Whether in August or September, the flowery splendor of Lüneburger Heide or the Harz Mountains with the many opportunities they provide for hiking, climbing and winter sports, Braunschweig's ideal location between Harz and Heath offers quickly accessible excursion points for every taste.

Que l'on veuille parcourir la lande en fleur, en août ou en septembre, ou faire une randonnée, une grimpette ou pratiquer les sports d'hiver dans le Harz, la situation idéale de Brunswick entre le Harz et la lande de Lüneburg permet des excursions pour tous les goûts.

Chronik

1032
Braunschweig erstmals urkundlich erwähnt (als »Brunesguik«, Siedlung auf dem Gelände des heutigen Altstadt- und Kohlmarktes)
Nach 1117
König Lothar III. verleiht Braunschweig das Stadtrecht
1142–1195
Residenz Herzog Heinrichs des Löwen
1166
Errichtung des Burglöwen
Um 1175
Neubau der Burg Dankwarderode
1358
Braunschweig Mitglied der Städtehanse
Um 1432
Verlegung der herzoglichen Residenz nach Wolfenbüttel
1514–1522
Der revolutionäre Theologe Thomas Müntzer ist Vikar an der Michaeliskirche
1745
Gründung des Collegium Carolinum
1770–1781
Lessing ist Bibliothekar in Wolfenbüttel
1829
Uraufführung von Goethes »Faust I« (im Opernhaus am Hagenmarkt)
1864
Schriftstellerin Ricarda Huch in Braunschweig geboren
Ab 1891
Anlage des Bürgerparks
1933
Inbetriebnahme des Hafens am Mittellandkanal
1941–1945
40 Luftangriffe auf Braunschweig, 90 Prozent der Innenstadt ist vernichtet
1960
Abbruch der Schloßruine
1962
Städtepartnerschaft mit Nimes (Frankreich)
1971
Städtepartnerschaft mit Bath (Großbritannien)
Eröffnung des Freizeit- und Bildungszentrums
1979
Anschluß Braunschweigs an das IC-Netz der Bundesbahn
1981
Städtepartnerschaft mit Kiryat Tivon (Israel)
1983
Eröffnung der Burgpasssage
1985
Abschluß der Restaurierung von Burg Dankwarderode
1994
Rekonstruktion Alte Waage fertiggestellt
1995
Heinrich der Löwe
Feierlichkeiten zu seinem 800. Todestag

Chronicle

1032
The first mention of Brunswick in a document (as the settlement, "Brunesguik", on the site of the present day Altstadtmarkt and Kohlmarkt)
After 1117
King Lothar III incorporates Brunswick as a city
1142–1195
Duke Heinrich der Löwe resides in Brunswick
1166
Installation of the castle lion (Burglöwe)
Approx. 1175
Construction of the new Dankwarderode Castle
1358
Brunswick becomes a member of the Hanseatic League
Approx. 1432
The ducal residence is moved to Wolfenbüttel
1514–1522
The revolutionary theologian, Thomas Müntzer, is vicar of the Church of St. Michael
1745
Founding of the Collegium Carolinum
1770–1781
Lessing is librarian in Wolfenbüttel
1829
The first performance of Goethe's "Faust I" (in the Hagenmarkt Opera House)
1864
The writer, Ricarda Huch, born in Brunswick
From 1891 onwards
Creation of the municipal park
1933
The Mittellandkanal opened for business
1941–1945
40 air-raids, 90 % of the city center destroyed
1960
Demolition of the castle ruins
1962
Sister-city Nimes, France
1971
Sister-city Bath, Great Britain
1971
Opening of the Recreational and Educational Center
1979
Brunswick is incorporated in the IC railway network
1981
Sister-city Kiryat Tivon, Israel
1983
Opening of the Burgpassage
1985
Restoration of Dankwarderode Castle Completed
1994
Completion of reconstruction of Alte Waage
1995
800th anniversary celebrations commemorating death of Henry the Lion

Histoire

1032
Brunswick est mentionné pour la première fois dans les chroniques («Brunesguik» sur l'emplacement des Altstadtmarkt es Kohlmarkt actuels)
Après 1117
Le roi Lothar III accorde le droit de ville
1142–1195
Résidence du duc Henri le Lion
1166
Construction du «Bürglöwe»
Vers 1175
Reconstruction du château de Dankwarderode
1358
Brunswick est membre de la Hanse
Vers 1432
La résidence du duc est déplacée à Wolfenbüttel
1514–1522
Le théologien révolutionnaire Thomas Müntzer est vicaire de l'église St-Michel
1745
Fondation du Collegium Carolinum
1770–1781
Lessing est bibliothécaire à Wolfenbüttel
1829
Première représentation du «Faust I» de Goethe (à l'opéra sur le Hagenmarkt)
1864
Naissance de la femme de lettres Richarda Huch
A partir de 1891
Le Bürgerpark est tracé
1933
Mise en service du port sur le canal du Mittelland
1941–1945
Quarante attaques aériennes sur Brunswick. Le vieille ville est détruite à 90 pour cent
1960
Démolition des vestiges du château
1962
Ville jumelée de Nîmes (France)
1971
Ville jumelée de Bath (Grande-Bretagne)
1971
Ouverture du centre de récréation et d'enseignement
1979
Brunswick est rattaché au réseau ferroviaire IC
1981
Ville jumelée de Kiryat Tivon (Israel)
1983
Mise en service du Burgpassage
1985
La restauration du château de Dankwarderode est terminée
1994
La reconstruction de l'«Alte Waage» est terminée.
1995
Célébrations pour le 800e anniversaire de la mort d'Henri le Lion